Gaspar Cassadó

1897 – 1966

Requiebros

pour Violoncelle et Piano
for Violoncello and Piano
für Violoncello und Klavier

ED 1562
ISMN 979-0-001-03375-6

Weitere Kompositionen von Cassadó
More works by Cassadó
Lamento de Boabdil
ED 1561
Partita für Violoncello und Klavier
ED 2383

www.schott-music.com

Mainz · London · Berlin · Madrid · New York · Paris · Prague · Tokyo · Toronto

à mon très cher maître Pablo Casals

Requiebros

Gaspar Cassadó

a tempo
molto rit.
espress.
a tempo
molto rit.
espress.

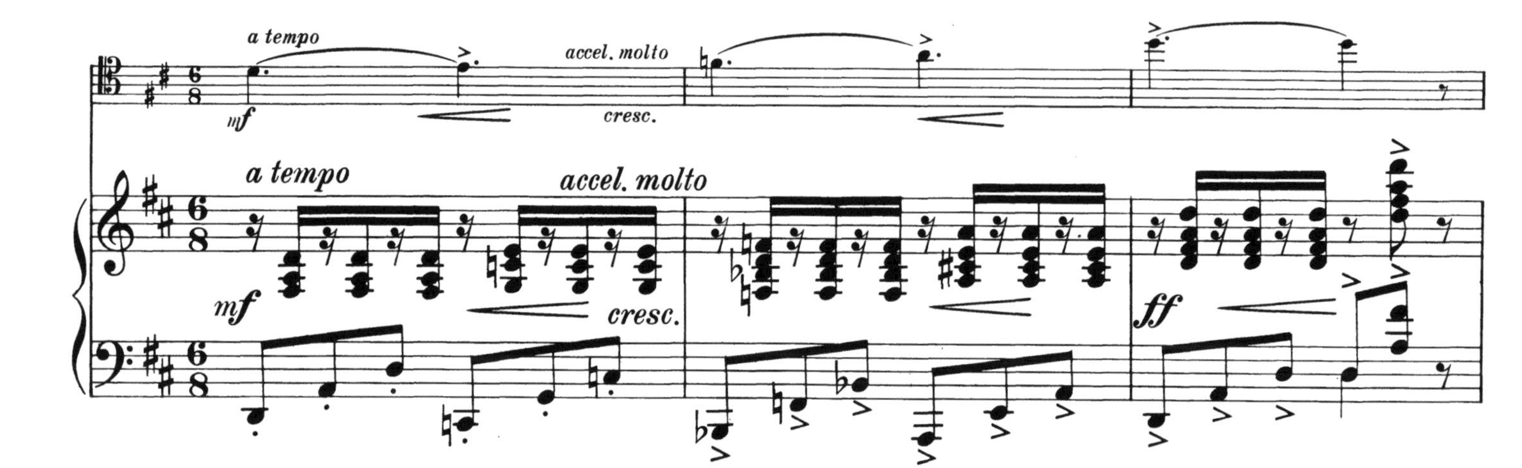
a tempo
accel. molto
mf
cresc.
a tempo
accel. molto
mf
cresc.
ff

ten.
ten.
ten.
f con anima
a tempo
colla parte
f
a tempo

meno forte
ff con fantasia
a tempo
f
mp
mf
allargando
f
8
a tempo
f
p

a tempo
f con fantasia
ff
con passione
a tempo
allargando
f
ff animato
ff
Ped.
dim. molto
mp con dolcezza
dim. molto
p dolce
una corda
sfz

più sonoro
più intenso
p
cresc.
marc. bene

f
f

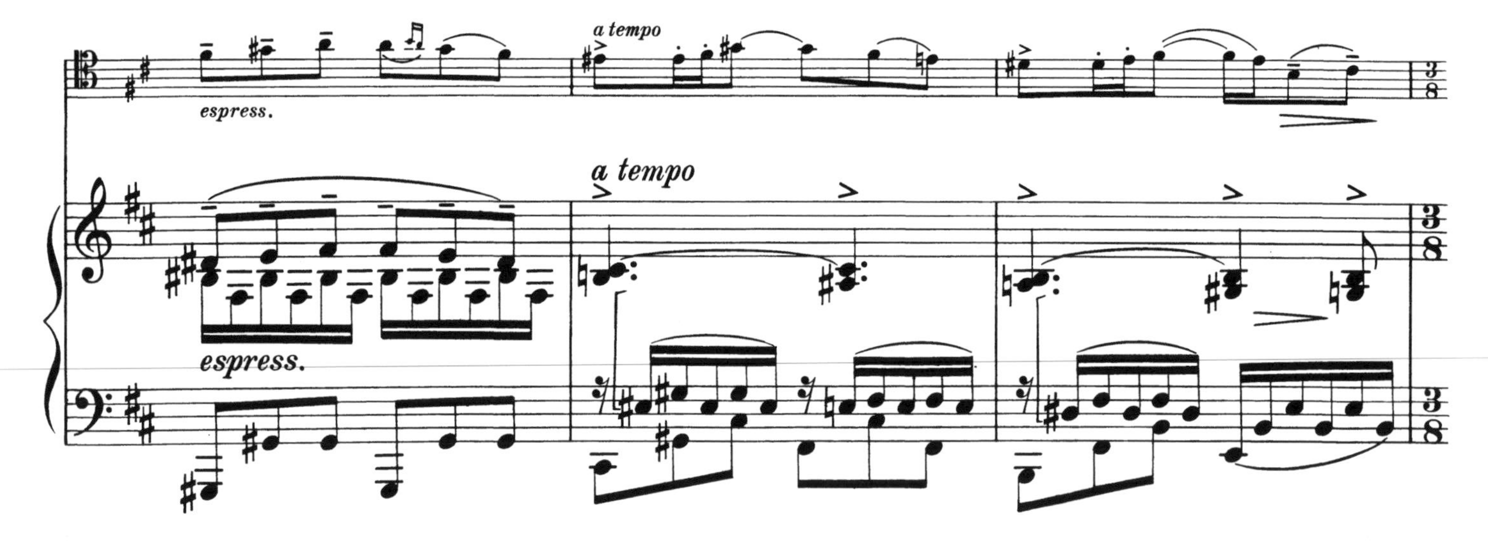
espress.
a tempo
a tempo
espress.

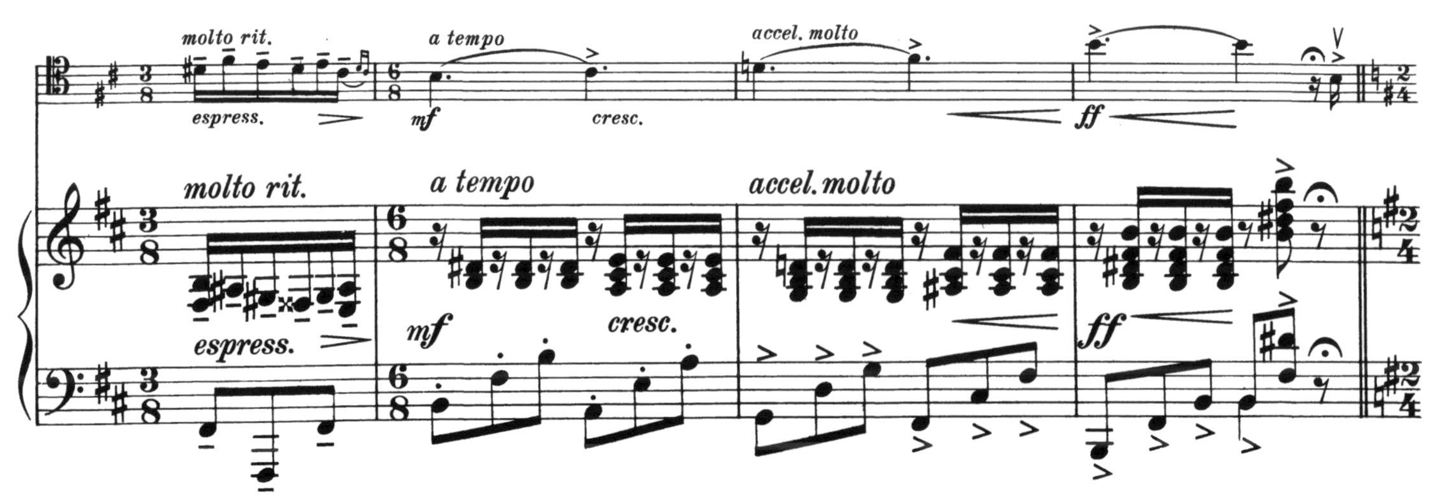
molto rit.
a tempo
accel. molto
espress.
mf
cresc.
ff
molto rit.
a tempo
accel.molto
espress.
mf
cresc.
ff

Violoncello

à mon très cher maître Pablo Casals

Requiebros

Gaspar Cassadó

Printed in Germany

ED 1562

Moderato e risoluto
con suono energico
poco rit.
a tempo
poco rit.
espress.
rubato
f energico
p con fantasia
accel. molto
Vivo
cresc.
f
dim. e calmando
rit.
rit molto
tr
Tempo I
espress.
con sentimento
cresc.
rit.
f
Animando poco a poco
poco rit.
mf

a tempo
cresc.
ff con fantasia
a tempo
f
mp
con fantasia

a tempo
poco rit.
Tempo I
f cresc. molto
ff

a tempo
molto rit.
espress.

a tempo
accel.
ten.
ten.
ten.
a tempo
mf
cresc. molto
f
ff
f con anima

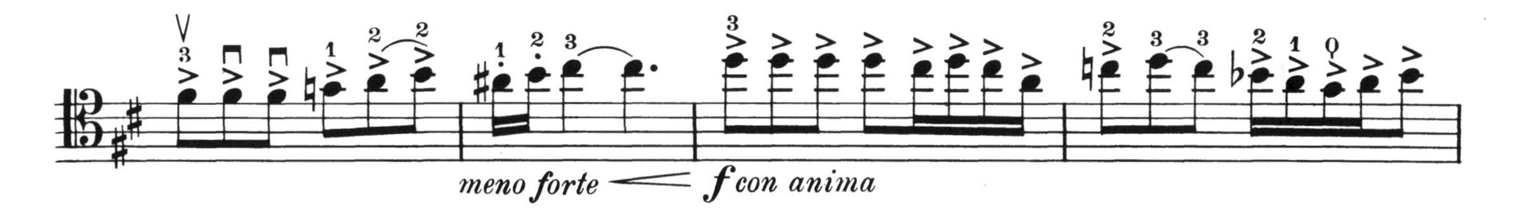
meno forte
f con anima

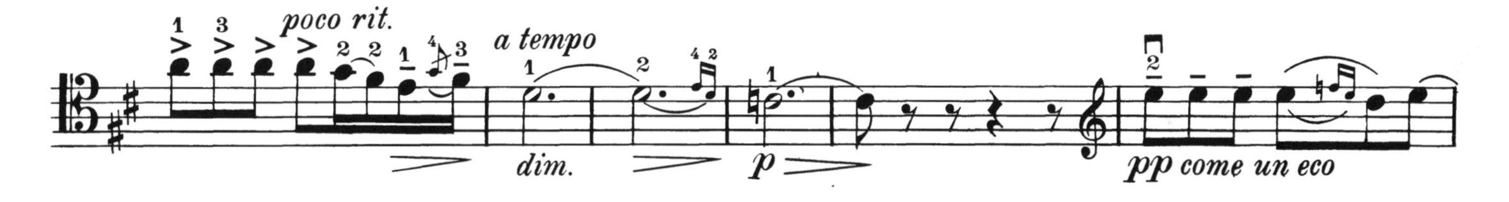
poco rit.
a tempo
dim.
p
pp come un eco

sfz

molto rit.
a tempo
accel.
espress.
p
cresc.

accel. sempre
a tempo
molto rit.
ten.
ten.
ten.
a tempo
pizz.
f
ff
fff
fff

Moderato e risoluto
con suono energico
espress.
rubato
f deciso
ff

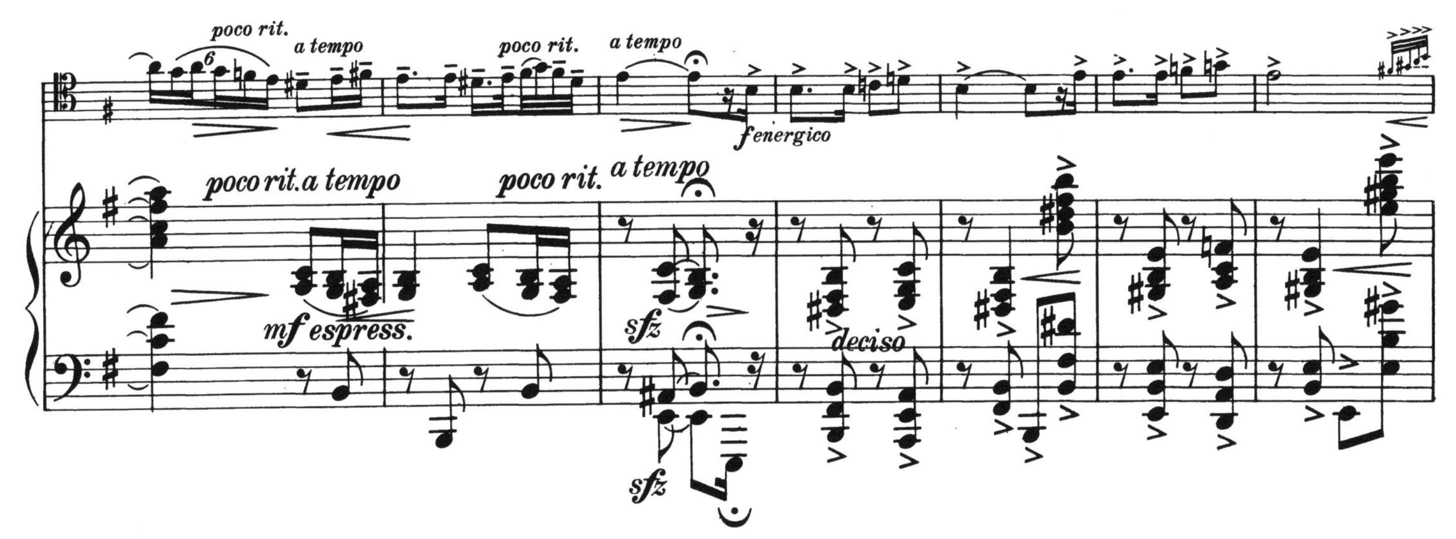
poco rit.
a tempo
poco rit.
a tempo
f energico
poco rit. a tempo
poco rit.
a tempo
mf espress.
sfz
deciso
sfz

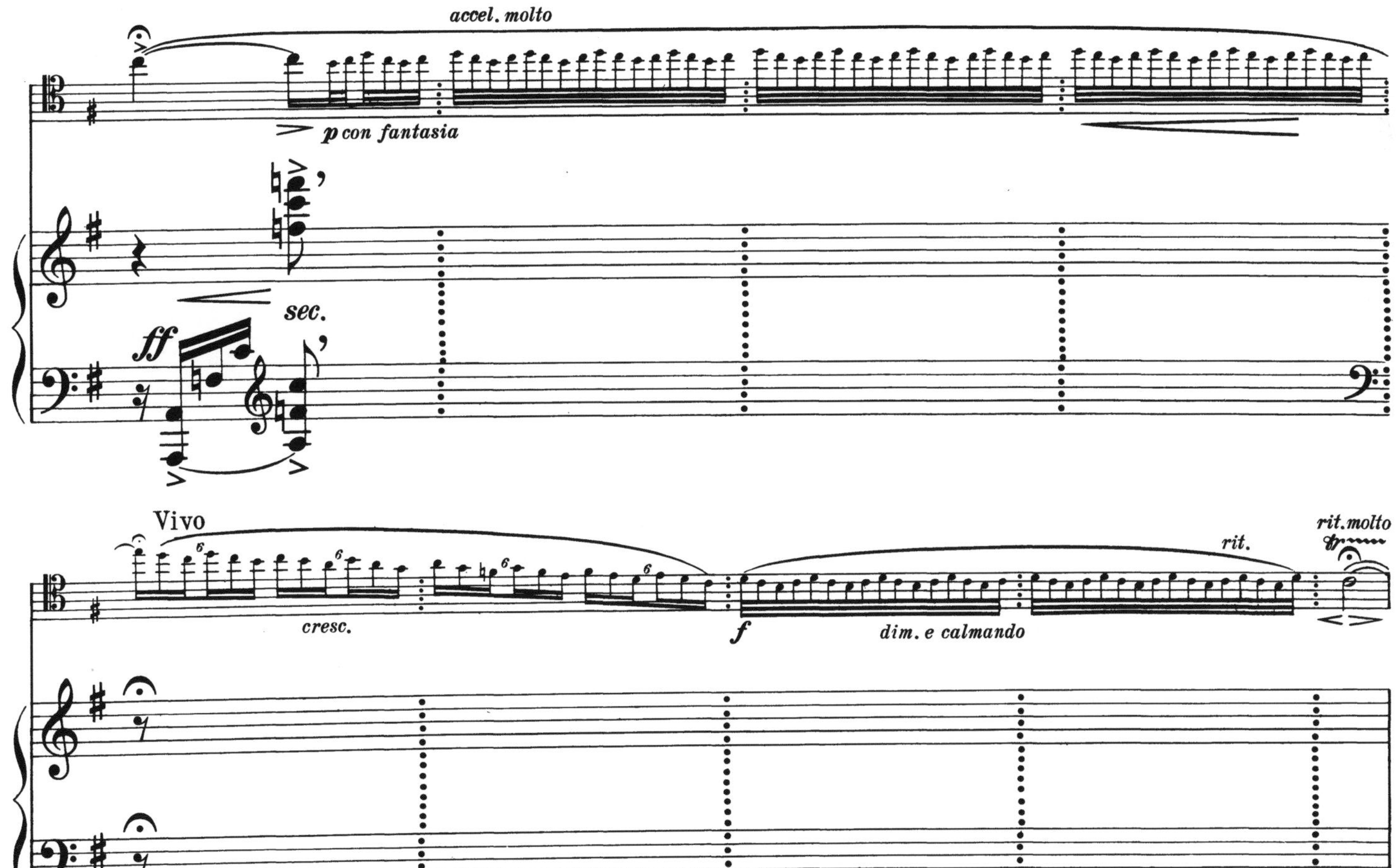
accel. molto
p con fantasia
sec.
ff
Vivo
cresc.
rit.
rit. molto
f
dim. e calmando

Tempo I
espress.
con sentimento
cresc.
rit.
f
Animando poco a poco
p espress.
cresc.
rit.
f
p

mf
poco rit.
a tempo
cresc. moltò
poco rit.
a tempo
cresc. molto

ff con fantasia
a tempo
f
mp
f con fantasia
allargando
f
8
a tempo
f
p
8
allargando
f

a tempo
f cresc.
cresc. molto
poco rit.
Tempo I
ff
a tempo
animato
f
cresc. molto
poco rit.
f
Ped.

espress.
espress.

a tempo
molto rit.
espress.
a tempo
molto rit.

a tempo
accel.
mf
cresc. molto
f
ff
ten.
ten.
ten.
f con anima
a tempo
accel.
mf
cresc. molto
f
ff
colla parte
f

a tempo
meno forte
a tempo
cresc.

f con anima
poco rit.
poco rit.
f con ampiezza

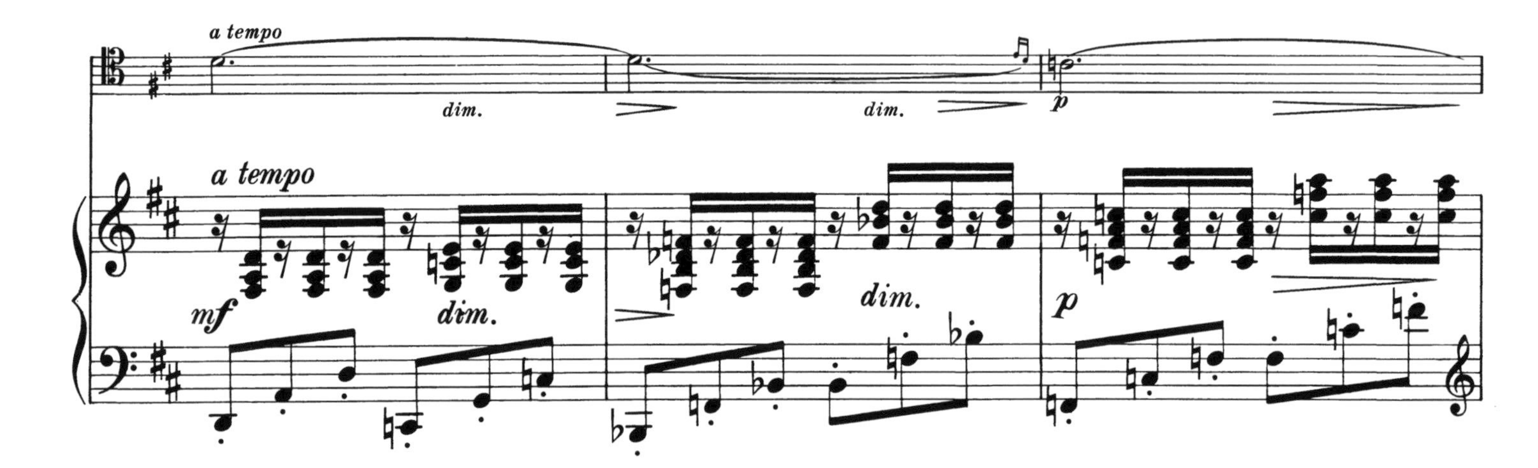
a tempo
dim.
dim.
p
a tempo
mf
dim.
dim.
p

pp come un eco
ppp (2 pedali)
una corda

sfz

espress.
espress.

molto rit.
a tempo
p
cresc.
accel.
cresc.
molto rit.
a tempo
p
cresc.
accel.
cresc.

accel. sempre
f
cresc.
ff
a tempo
fff
accel. sempre
f
cresc.
ff
a tempo
fff

molto rit.
ten.
ten.
ten.
a tempo
fff
pizz.
molto rit.
8
8
a tempo animato
ten.
ten.
colla parte
ff
ten.
ten.
8
Ped.